D0580911

GEEF JE KIND MEER ZELFVERTROUWEN

Ik draag dit boek op aan
mijn twee zelfbewuste dochters, Trina en Sondra,
en aan elk kind dat een stimulans nodig heeft.

Silvana Clark

Geef je kind meer zelfvertrouwen

150 praktische adviezen om een positief zelfbeeld mee te geven

De Driehoek / Amsterdam

Oorspronkelijke uitgever: Meadowbrook Press, 5451 Smetana Drive, Minnetonka, Minnesota 55343 VS
Oorspronkelijke titel: Parent-tested ways to grow your child's confidence

Vertaling: Annie Classens
Omslagfoto: Chris M. Rogers – Imagebank

ISBN 90-6030-630-9 NUGI 721/711

inhoud

Dankwoord

Mijn speciale dank gaat uit naar de praktijkdeskundigen, de mamma's en pappa's die ons in dit boek in hun ervaringen laten delen. Al die jaren heb ik tijdens de workshops van alle gesprekken met jullie genoten en ik waarderde het enthousiasme waarmee jullie spraken over hoe de kinderen te helpen zelfvertrouwen op te bouwen. Ik wil ook mijn agent, Linda Konner, bedanken die alle e-mail altijd snel beantwoordde en me nooit het gevoel gaf een lastpak te zijn. Ten slotte wil ik de directie van Meadowbrook Press danken die iedere stap in de productie op plezierige en professionele wijze afhandelde. Een speciaal woord van dank aan Steve Linders die geduldig mijn eindeloze telefoongesprekken uitzat. Dank jullie allemaal!

Inleiding

Onlangs kocht ik een zakje veldbloemenzaad, verleid door de schitterende kleuren van de foto's op de verpakking. De instructies luidden: 'Strooi de zaadjes in de aarde, geef water en dat is alles. Binnen een paar weken hebt u een prachtige tuin met wilde bloemen in allerlei kleuren'. Het was mijn eerste poging tot tuinieren, dus ik strooide zorgvuldig de zaadjes uit en gaf ze plichtsgetrouw water. Een week ging voorbij maar er was nog geen enkel teken van enig leven. Weer ging een week voorbij en de grond bevatte nog steeds niets anders dan aarde en onkruid. Na vijf weken besefte ik dat mijn prachtige wilde bloementuin nooit werkelijkheid zou worden.

Ik klaagde bij een vriendin-met-groene-vingers en die bracht me toen bij hoeveel tijd het kost een bloementuin aan te leggen en bij te houden. Ik raakte enigszins beduusd toen ik haar hoorde vertellen, hoe belangrijk het is van te voren de grond te bewerken, in het oog te houden of zich geen ziektes ontwikkelen, goed zaad te selecteren op basis van de hoeveelheid zonlicht etc. Ze zorgde ervoor dat ik besefte dat tuinieren echt veel tijd, werk en aandacht vraagt, maar ze hield me ook voor ogen dat wat men er dan voor terugkrijgt, beslist de moeite waard is.

Ook kinderen vragen veel tijd en inspanning als je ze wilt helpen hun capaciteiten te ontwikkelen. Als ouders en verzorgers hebben wij de enorme verantwoordelijkheid onze kinderen te helpen een gezonde kijk op het leven te ontwikkelen. Een succesvol tuinier gaat heel zorgvuldig na waar in de tuin de tomaten het het beste zullen doen. Op precies dezelfde wijze moeten ouders heel zorgvuldig nagaan op welke wijze ze bij hun kinderen het beste zelfvertrouwen kunnen aankweken. Als zo bijvoorbeeld je dochter een rol in een schooltoneelstuk heeft en deze moet instuderen, kun je een van de rollen voordragen om haar te laten ontdekken, hoe het waarschijnlijk zal zijn als ze voor een volle zaal staat en met heldere, luide stem de tekstregels voordraagt. Als je zoon behoorlijk gevoelig is, kun je bijvoorbeeld ervoor zorgen dat hij hoort, hoe je aan oma vertelt dat hij op school op een nieuw kind is afgestapt en dat het nu zijn vriend is.

Als professioneel spreker geniet ik het voorrecht over de hele wereld ouders te ontmoeten met allemaal prachtige, creatieve manieren om kinderen zelfvertrouwen te leren. Ouders vertellen me enthousiast wat bij hen effect had – en wat niet. We lachten ook met elkaar om een aantal goedbedoelde technieken die een averechtse uitwerking hadden. Een vader vertelde me een verhaal over een ingewikkeld zeven-stappen-programma dat hij bij een cursus had geleerd. Natuurlijk had de spreker zelf geen kinderen. Ik geef de voorkeur aan me concentreren op strategieën die al in de praktijk zijn getoetst en die werkten bij de echte experts: de ouders. Je krijgt ze te horen van mamma's en pappa's die net een eerste peuter in huis hebben en van meer ervaren ouders die nu bijvoorbeeld werken met gevangenen in San Quentin. Het was al die jaren een plezier hun verhalen te horen en ik hoop dat ze voor de lezer net zo'n inspirerende uitwerking hebben.

Silvana

Gebruik ondersteunende taal

Een eigen zinnetje

Maak een speciaal zinnetje of gezegde dat je alleen bij je kind gebruikt en dat dus uitsluitend van jullie tweeën is. Gebruik het regelmatig zodat je kind het gevoel heeft bijzonder te zijn.

Vanaf dat mijn zoon twee was, stopte ik hem iedere avond in en zei dan tegen hem: 'Jij bent de beste zoon die ik ooit heb gehad'. Hij was vier voordat het tot hem doordrong en hij zei: 'Mam, ik ben de enige zoon die jij hebt'. Ik antwoordde toen: 'Zelfs als ik honderd zonen had, dan zou jij nog steeds de beste zijn'. Nu, mijn zoon is inmiddels 24, zeg ik hem nog steeds: 'Jij bent de beste zoon die ik ooit heb gehad'.

▷ Catherine Jewell, trainer en docent

Positieve bevestiging

Als je kinderen iets doen waarvoor ze een compliment verdienen, vertel het dan aan anderen met je kind binnen gehoorsafstand. 'Het was zo lief van je Melissa het spelletje te leren. Ik ga oma bellen om haar te vertellen wat je hebt gedaan.' Zorg ervoor dat je kind het gesprek kan horen.

Als mijn energieke, gedecideerde 2-jarige dochter zelf haar vuile kleertjes in de wasmand doet of een vriendje met haar speelgoed laat spelen, bel ik meteen haar vader op zijn werk. Als ik zijn antwoordapparaat krijg, laat ik een bericht achter en spreek bijvoorbeeld in: 'Hallo, Julie heeft me vandaag geholpen, ze heeft zelf al haar speelgoed in de speelgoeddoos gedaan.' Julie straalt en haar vader geeft haar als hij thuis komt ook nog eens een complimentje.

▷ Vermoeide moeder van een 2-jarig meisje

Koosnaampje

Kies een koosnaampje voor je kind. Zoek er een dat het leuk vindt en let op het alleen thuis te gebruiken als je kind het eigenlijk een beetje gênant vindt. Je groep-één-kind heeft er waarschijnlijk geen moeite mee als je zegt: 'Tot straks, lief lichtje' als je haar bij school afzet, maar je 10-jarige geeft met grote waarschijnlijk de voorkeur aan: 'Tot vanavond, Sandy'.

Ik heb koosnaampjes voor elk van mijn kinderen en gebruik ze vaak. Ik noem mijn peuter 'kleintje' ook al wordt hij waarschijnlijk de langste van ons allemaal. Ik noem mijn dochter een 'juweeltje' niet om wat ze doet of hoe ze eruit ziet, maar vanwege wie zij is.

▷ Kirsten Andrews, moeder van Becca en Jonathon

Redenen voor regels

Neem de tijd om uit te leggen wat de redenen voor de huisregels zijn. Kinderen willen natuurlijk weten waarom ze dingen op een bepaalde manier moeten doen. Zo kan het voorkomen dat je zegt: 'Niet aan die vaas komen!' Als je kind vraagt: 'Waarom?' probeer dan om niet een antwoord te geven als: 'Omdat ik het zeg!' Een simpele uitleg is vaak voldoende om je kind inschikkelijker te maken.

Toen we in een rij bij de kassa stonden te wachten, ging mijn 4-jarige op een metalen afscheidingsstang hangen. Ik wees haar erop dat de uiteinden niet in een muur vastzaten en vertelde dat de stang naar beneden zou kunnen komen en ze zich zou kunnen bezeren. De collega zei: 'Ik werk hier nu al drie jaar. Minimaal een keer per dag wordt er tegen een kind gezegd van de stang af te komen. U bent de eerste die het kind uitlegt waarom'.

▷ Moeder en caissière

Leer medegevoel aan

Laat je kind horen hoe je met anderen meevoelt, speciaal met mensen in nood. Vraag je kinderen hoe ze zich zouden voelen als ze je kwijt zouden raken net als het meisje dat ze op het nieuws op tv zagen. Als je een dakloze passeert, leg je kinderen dan uit hoe en waarom sommige mensen op straat leven.

Toen mijn zoon 5 werd, kochten we een boek met schilderijen van Norman Rockwell. Mijn zoon vond het heerlijk als we er samen voor gingen zitten om over elk schilderij te praten. Hij beschreef dan hoe de persoon op het schilderij zich voelde, waarom de kleine jongen glimlachte of hoe het kleine meisje zich voelde op de eerste schooldag.

▷ Moeder en bibliothecaresse

Optimistisch over jezelf praten

Stimuleer in je gezin een gezonde manier van praten over jezelf. Studies tonen aan dat optimistische mensen in staat zijn op een opgewekte, optimistische manier te denken omdat hun innerlijke stemmen positief zijn. In plaats van je kinderen toe te staan te denken: 'Ik ben slecht in rekenen', stimuleer je ze om te denken: 'Ik leer mijn vermenigvuldigingstafels en daarna wordt wiskunde een stuk makkelijker'.

Toen onze dochter Lauren steeds vaker gefrustreerd thuis kwam van school, schreven we voor haar een tekst om iedere ochtend te lezen. Ze las zinnen als 'Ik ben een winner; ik ga er vanuit dat ik win', 'Ik maak gemakkelijk vrienden' en 'Ik maak me niet druk om slechte dingen die anderen over me zeggen omdat ik bijzonder ben en God een speciale bedoeling met mij heeft.' Ze had hier ontzettend veel profijt van.

▷ Dan en Lynn Tegtmeyer, trotse ouders

Voicemail

Als je kinderen eerder dan jij thuiskomen, zet dan een bericht op het antwoordapparaat als groet bij hun binnenkomst. Veel kinderen rennen bij thuiskomst meteen naar het antwoordapparaat of de telefoon om na te gaan of er geen berichten zijn binnengekomen. Je kinderen zullen je stimulerende woorden of humor op prijs stellen. Complimenteer je kinderen over hoe goed ze die ochtend alles voor school hadden voorbereid of vertel een grapje.

Ik maakte gebruik van een boek met raadseltjes voor het maken van grappige antwoordapparaatberichten voor mijn kinderen. Ik sprak dan in: 'Klop, klop' en gaf vervolgens mijn dochter de tijd voor het antwoord: 'Wie is daar?'. Dan ging ik door met het grapje en pauzeerde weer voor haar antwoord. Mijn dochter vond het te gek om tegen het antwoordapparaat te praten.

▷ Moeder en computerprogrammeur

Kinderen als redders in nood

Je kinderen maken er waarschijnlijk bezwaar tegen als je ook maar één woord probeert te veranderen in de verhaaltjes die hun het dierbaarst zijn. Als je echter minder bekende verhaaltjes voorleest of je zelf er een verzint, gebruik dan voor de hoofdpersoon de naam van je kind. Kinderen zijn gek op verhalen waarin ze zelf een rol spelen.

Als mijn kinderen me vragen een verhaal te vertellen, verzin ik een verhaal waarin ze zelf de hoofdpersonen zijn. Zij zijn de helden die de stad en de mensen redden. Ze vinden het heerlijk zelf in het verhaal voor te komen.

▷ Justin Mitchell, maatschappelijk werker

Beloon hard werken

Kies een moment waarop je kinderen ijverig bezig zijn met het karweitje dat je hun hebt opgedragen. Knuffel ze en zeg: 'Ik vind het zo fijn dat je de auto stofzuigt. Ga maar lekker spelen, dan maak ik je werk af.' Ze zullen in eerste instantie vreemd opkijken, maar geleidelijk aan gaan ze inzien dat hard werken altijd wordt beloond.

Ongeveer eens per maand, verras ik mijn kinderen met een compliment voor de manier waarop ze een bepaald karwei hebben geklaard. Ik ontdekte dat ze harder werken, nu ze weten dat er een kans is dat ik het van hen overneem. Ik was geschokt toen mijn 9-jarige vorige week zei: 'Mam, je doet dat stoffen goed, maar ga wat lezen, dan maak ik het wel af'.

▷ Nog steeds in schoktoestand verkerende moeder

Hecht waarde aan de meningen van je kinderen

Promoot zelfwaardering in je kinderen door ze te stimuleren hun meningen te uiten. Neem de tijd voor denkwerk eisende vragen als 'Hoe denk je dat de vervangster op school zich voelde, toen de klas niet naar haar aanwijzingen luisterde?' of 'Wat kunnen we voor de buren doen nu hun hond onder een auto is gekomen?' Luister met aandacht naar hun antwoorden. Kinderen die hebben meegekregen dat hun mening belangrijk is, leren op een positieve manier hun mening naar voren te brengen.

Tijdens het eten lees ik vaak een artikeltje uit de krant voor. Ik zoek ingezonden brieven in de kranten, foto-onderschriften, e.d. Elk gezinslid krijgt de gelegenheid om, zonder dat hij of zij in de rede wordt gevallen, de eigen mening op tafel te brengen. Dit zorgt voor levendige tafelgesprekken.

▷ Vader en postbode

'Op je kinderen!'

Stel voor te toosten op je kinderen. Houd het simpel of wees zeer lang van stof – hoe je maar wilt. Je kinderen genieten van het klinken met de glazen terwijl je zoiets dieps zegt als: 'Eens in de zoveel tijd laat een atlete haar ware capaciteiten en uithoudingsvermogen zien. Daarom nu een toost op de enige persoon in ons gezin die gezegend is met het vermogen om gedurende twee minuten en zeventien seconden te hoelahoepen... op Mary Schröder!' En vergeet niet te klappen en te juigen.

Altijd als ons gezin in een restaurant eet, voelen we de behoefte een of andere toost op elkaar uit te brengen. Mijn man toost altijd op een plagerig verliefde manier op mij en daarna beginnen de kinderen met hun toosts op elkaar. Sommige zijn te grof om hier te herhalen.

▷ Gegeneerde moeder van 3 spontane kinderen

Vier de laatste schooldag

Veel kinderen vieren de eerste schooldag van het jaar. Waarom niet ook de laatste schooldag? Sta stil bij alweer een schooljaar dat je kinderen hebben afgerond met een speciale maaltijd of kleine cadeaus. Vraag je kinderen de vaardigheden te beschrijven die ze hebben geleerd en vraag hun ook om te vertellen over alle veranderingen die ze sinds het begin van het schooljaar bij zichzelf hebben geconstateerd.

Op de laatste schooldag ga ik met een grote ballon met daarop 'Hartelijk gefeliciteerd' geschilderd naar de school van mijn kinderen om te vieren dat ze weer een jaar verder zijn. Zij vinden dat prachtig.

▷ Kathy Moreno, thuismoeder van drie kinderen

Wees een beetje hoffelijk

In het bedrijfsleven behandelen zakenmensen hun klanten met respect en hoffelijkheid. Thuis vergeten ze vaak echter zelfs de meest basale beleefdheidsvormen tegenover hun kinderen. Probeer er een gewoonte van te maken om 'alsjeblieft' en 'dank je' tegen je kinderen te zeggen. Probeer ook om hen niet in de rede te vallen, zelfs als ze een langdradig verhaal vertellen over het etensgevecht in de snackbar.

Ik behandel mijn kinderen als gerespecteerde klanten. Deze techniek heeft niets met verwennen te maken; het gaat om het voldoen aan onze basisbehoefte je welkom, belangrijk, begrepen en op je gemak te voelen.

▷ Tom Lagana, boekenschrijver

Plaats een probleem in een overzichtelijk kader

Benader de problemen van je kinderen op een manier die voor hen te begrijpben is. Geef ze eerst de tijd om hun frustraties te ventileren en breng de situatie vervolgens op een heldere, feitelijke manier onder woorden. Zo ontwikkelen ze het vermogen om op een objectieve wijze naar hun problemen te kijken.

Sondra kwam op een dag mopperend uit school: 'Ik heb een verschrikkelijke dag gehad!' Na een tussendoortje, liepen we samen uur voor uur haar dag nog eens door. Ik maakte aantekeningen terwijl zij beschreef hoe ze met haar lievelingsontbijt (linzensoep) was begonnen, een nieuw T-shirt aan had, hoe ze op de fiets naar school moest, hoe goed ze het dictee had gemaakt en hoe leuk ze haar leraren vond. Uiteindelijk kwam ze tot de ontdekking dat haar 'verschrikkelijke' dag bestond uit een onbelangrijk conflict over een balspel dat vijf minuten in beslag nam.

▷ Silvana, moeder van twee meisjes

Minimaal een goed ding

Zorg ervoor iedere dag minstens een keer iets opbeurends tegen je kinderen te zeggen. Laat merken dat je het waardeert dat ze hun rugzakken opruimen, glimlachen tegen de oude buurman, lief een poesje aaien etc. Dit helpt hen om de aandacht vooral te richten op de goede dingen die ze doen.

Mijn drie jongens werden opgevoed in een een-ouder-gezin. Hun vader overleed door een auto-ongeluk toen ze twee, zes en acht waren. Het belangrijkste wat ik voor hen heb gedaan, is hun een heleboel complimentjes en liefde te geven. Nu zijn het geslaagde volwassenen. Zij schrijven hun succes toe aan een ouder die hen ondersteunde ongeacht wat ze uitspookten.

▷ Ingrid Dosta, onderwijsconsulent

Stel een grens

Laat je kinderen weten dat bepaalde gezinsregels onwrikbaar zijn. De meeste ouders zijn het er over eens dat er geen discussie mogelijk is over veiligheidsgordels. Hetzelfde geldt voor het dragen van een helm op een brommer of voor het zeggen van gemene dingen over anderen. Kinderen ontlenen een gevoel van veiligheid aan weten dat er vaste gedragsregels binnen hun gezin gelden.

Bij ons thuis gelden bepaalde on-onderhandelbare regels. Van de kinderen wordt verwacht zich aan deze regels zonder argumenteren te houden. Al het andere staat open voor discussie. Zo af en toe vraagt mijn 3-jarige: 'Is broccoli eten bespreekbaar of niet bespreekbaar?' Als ik zeg dat het bespreekbaar is, gebruikt ze haar vaardigheden om haar positie van argumenten te voorzien. Maar als ik zeg: 'Dit onderwerp is niet bespreekbaar', weten mijn kinderen wat ik bedoel.

▷ Moeder van drie goedgebekte kinderen

Interactieve televisie

Kijk tv met je kinderen en praat met hen over wat je ziet. Draai af en toe het geluid weg bij reclamespots en vraag je kinderen om te raden wat de acteurs zeggen. Je kinderen gaan waarschijnlijk de overdreven gezichtsuitdrukkingen en verleidelijkheid van bepaalde beelden opmerken. Je kunt praten over de manier waarop reclamemakers ons op een slimme manier aanzetten tot het kopen van dingen die we niet echt nodig hebben. Uiteindelijk zullen je kinderen hun koopimpulsen leren beheersen en met meer kritisch bewustzijn tv kijken.

Als mijn kinderen tv kijken ben ik erop gespitst hen het overdrevene dat in elke commercial is te vinden, te laten zien. Ze zijn slimme consumenten geworden, omdat we er zo veel over gepraat hebben, hoe reclamemakers trucs gebruiken om hun producten te verkopen.

▷ Vader en chemicus

Stel je kinderen op de juiste wijze voor

Stel je kinderen op dezelfde manier aan vreemden voor als je dat zou doen met een collega of vriend. Leer je kinderen ook hoe te antwoorden als ze worden voorgesteld. Laat ze zien hoe je handen schudt, oogcontact maakt en hoe je mensen op een respectvolle manier groet. Volwassenen zullen dan op hun beurt reageren op de goede manieren van je kind, wat het zelfvertrouwen van je kind dan weer ten goede komt.

Ik stel mijn dochter altijd voor met de woorden: 'Dit is Sondra, mijn dochter'. De volgorde van de woorden is belangrijk omdat deze manier van zeggen laat zien dat ze in de eerste plaats een individu is en dat ze vervolgens ook mijn dochter is.

▷ Allan, vader van twee meisjes

Redelijke regels

Probeer voor je kinderen redelijke regels en verwachtingen vast te stellen. Voor 10-jarigen zou het niet nodig moeten zijn, hen te herinneren aan het vastmaken van hun veiligheidsgordels. Als kinderen begrijpen wat er van hen wordt verwacht, leven ze meestal naar deze verwachtingen. Jouw vertrouwen dat je kinderen de juiste dingen doen, komt hun zelfvertrouwen ten goede.

Mijn ouders ontwikkelden mijn gevoel voor eigenwaarde door tegen me te zeggen: 'Wordt iemand! Trek erop uit en zoek een baan!' Ze gaven me nadat ik het diploma van de middelbare school had behaald een jaar om een baan en een woning te vinden. Godzijdank. Zij leerden mij om voor mezelf te zorgen. Het leven staat op niemand te wachten.

▷ Aaron Callan, student